歌集

さらば、白き鳥よ

棗隆
Takashi Natsume

JN219689

短歌研究社

Farewell, My White Birds……

＊目次＊

歌集

さらば、白き鳥よ

この歌集を敬愛する成瀬有兄に捧ぐ

Ⅰ

序歌

岡野弘彦

成瀬有への挽歌

岡野弘彦

成瀬有君は大学に入つてきた時からの格別に親しい教へ子である。さう言へば成瀬より前に、奈良橋善司・秋山実・海老沢泰久など、私にとつて大切な人が世を去つてゐる。心はことばによつて示される。力ある真実のことば、しらべある魂の歌のよみがへりを願ふ、私のせい一杯の挽歌を、私より早く世を去つた友にささげたいと思ふ。

霜月の夜に啼くむしの音を絶えて　成瀬有《たもつ》は　これの世になし

朝霧の神宮球場。弓なりに身をたわめ立つ　ピッチャー成瀬

—東都大学一部リーグ—

息あへぎわれにつきくる　マラソンの三人《みたり》のなかに　汝もゐにけり

眉きよく　心はげしき者を率《ゐ》て　暗がり峠越えし日おもほゆ

大蕪《おほかぶら》に精を放ちて旅ゆきし咄きかせて　近江路をゆく

—今昔物語集・本朝部—

あくる年「ちちよ・ちちよ」としたひ寄る、蕪の子らの　白き肌あはれ

わがチームのセンターフォワードは譲らずと　いひて聞かせき　四十ぢのなかば

山の辺の道の曲りに肩よせて　何かたりけむ。それも忘れぬ

吉野の宿。むささびの啼く夜をこめて　さとせしは　君も忘れざるべし

若き日の友　つぎつぎに去りゆけり。ひとりすべなき　わが魂まつり

（角川書店「短歌」・平成二十五年一月号より転載）

Ⅱ

さらば、白き鳥よ

——成瀬有を悼む——

一 「白鳥」創刊の頃

平成二十四年十一月十八日の午後一時すぎ、あなたを見舞つた私たちは辛くて仕方がなかつた。ＣＣＵに横たはつたあなたは、必死に呼吸する状態だつた。思はず私は、数年前に亡くした父の姿を重ねてゐた。肺を患ひ息絶えだえになつたふたり。あなたはその数時間後に亡くなつた。

常にあなたは太陽だつた惑星と距離たもつ。ああ光る日輪

直《ひた》向きに進むキホーテとその従者サンチョあなたは降る花見上ぐ

無念やろ「沼空論」をまとめ切れず逝きたり。あなた、さぞ悔しかろ

平成五年九月、「人」短歌会が解散した夜。能登の海鳴りを聴きながら私は涙を流してゐた。お前には何もないと指摘され、反論もできず心が折れてゐた。そんな私に「一緒にやらう」と声をかけてくれたあなた。十一月の初め頃、喫茶店に集まつたメンバーでの話し合ひが始まつた。

〈運動体〉作らむと力説するあなた意気軒昂たる言葉かさねて

世俗的疑問投げかけ水させば「何とかする」とあなた言ひ張る

繰り返す議論の果てに見え来たりゆつくりと空を舞ふ「白き鳥」

その後あなたは、本当に何とかした。その一つ。みなの負担を軽くするため二十社ほど印刷所を訪ね、「たきざわプリント」を探しだす。天晴。結社誌でもなく、同人誌でもない。文学運動体としての歌誌「白鳥」はあなたの呼びかけで集まつた約四十名と共に平成六年一月はやくも創刊。

運動体「白鳥」に拠る。みな若くこころ滾《たぎ》らす力みなぎる

河豚さしを食べ乾杯す。正博《まさひろ》の厚きてのひら宙《ちう》に舞ふ夜半《よは》

若かりき。かの人、この人酔《ゑ》ひ果てて　ああ神楽坂、麗しき日よ

二　成瀬有に和す

「白鳥」創刊より遥か前の話。歌を止めようと思つてゐた私に、あなたは止めるなと言つてくれた。赤彦の鍛錬道を知つてゐるか。毎日歌を作り、葉書で送ること。しばらく私は拙い作を送り続けた。才能なんて誰にもない、諦めるなと繰返した。あなたの矜持は継続にあつた。「白鳥」も然う。

マウンドに立ちし一瞬のむなしさをなにがなし今宵思ひ出でつも（有）
　かつてピッチャーなりし男の死にざまをなにがなし今朝は忘れたくある

＊

たゆたひやまざりこころさゐさゐとただささゐさゐとこの夜《よ》しぐるる（有）
　さゐさゐとしぐるる真夜かそこに存《あ》るこころかき鳴《な》せこをろこをろと

＊

めくるめくまで澄みとほる今朝の空や為す罪もなす罪もみな美し（有）
　にんげんの為す罪なべて美しくときめくくるめくつやめく朝明《あさ》け

＊

かなしみのきはまれば見し夢ならむ茂吉のをんな迢空のをみな（有）
　をんなよりをみな好めるわれらゆゑ師匠ゆづりの文語を愛す

＊

恋ふといふしづけき思念、枕べに夜もすがらなるこほろぎのこゑ（有）
　ひたぶるに想ひ鎮もる夜も更けて恋の歌びと岡野をおもへ

＊

夕雲のにほへる窓は空ふかし滅びむとするもよきかにつぽん（有）
　耽美的思考の果てにあるものをひとつ破滅と呼ぶは美《うるは》し

＊

にんげんの為すことおほよそ虚しくて馬うつくしく走らせなどす（有）
　欲望と呼ぶ鞍にしかとまたがりて鞭あてわれら馬を走らす

＊

鳥の余せし酸ゆきぶだうのむらさきに、唇《くち》そめて　昔　山の子われは（有）
　歌会にて最高点なり電話口に口述筆記したるこの歌

三　口語長歌風また反歌

あなたは編集者のまなざしを持っていた。いつも新しい企画を提案した。歌誌「白鳥」の創刊言は『抵抗体としての「白鳥」』。歌・短歌はどこから来たのか。どこへ行くのか。そして今、どこに存るのか。この命題を考える場こそ「白鳥」。実作と研究の両面からの実践。「人」の継承である。

ふたむかし前ほどの話　運動体「人」解散に
どんな意味があるのか知らぬ　能天気で未熟な私
ただ自分の行く末を嘆き　谷底に突き落とされた
獅子の子のように叫んだ　解散後の様々な動き
詳しくは知らないけれど　壮年の皆それぞれが
担うべき役割を選び　別々の居場所見つけて
短歌《うた》というおんぶお化けの　追求に明け暮れて来た

今にして思えばやはり　的確な選択だったと
弘彦の苦悩がわかる　あなたもひとり立ちして
「白鳥」という場を構え　運動体の中心となる
いつもいつも先を見据えて　新企画を考えるあなた
来年は二十年目に　入ることを自覚していた
たぶん七十一《しちじゆういち》歳のその年に　「人」と同じ二十年目に
私らを野に放とうと　考えていたに相違ない

あまりにも唐突な死は　私らを動揺させた
生き死にの摂理は神が　与えると信じておこう
若かった私もすでに　「白鳥」の創刊当時の
あなたの年齢《とし》を二つも越えた　いつまでも甘えてられぬ
これからはすべてのことを　自らが決めて行なう
あなたへの感謝と恩返し　あなたとの訣別のとき
この歌集をあなたに捧ぐ　ありがとう　あなた。さらば、白き鳥よ

＊

千尋の谷の底より見える空はるかに青く澄みきっている
恩恵を与えてくれた成瀬有。ああ白き鳥　青空に舞う
少しだけ思い出したと信じたい今わの際にわれらのことを
「白鳥」の精神は皆に広がって受け継がれてく安心をせよ
歌誌「白鳥」いまし解散することを明記しておくあなたに代わり

四　鎮魂頌《レクイエム》（彼に安息を）

成瀬有・第二歌集『流されスワン』より二首

白《しら》鳥と化せど苦しゐ行く空のはて夕雲のなだれてやまず

翻《ひるが》へる白《しら》鳥のごと手をかざし輪に舞ふ今ぞ欲しきかないのち

成瀬《なるせ》有葬儀式場《いうさうぎしきぢやう》今日《けふ》快晴《くわいせい》天幕受付《テントうけつけ》南無会者定離《なむゑしやぢやうり》

微笑むは眉濃きをとこ「報歌院釈有徳」と化《な》りて横たふ

現し世に苦しむことの無くなりて穏やかなりき汝《な》が死化粧《しにげしやう》

岡野弘彦・挽歌五首

「成瀬有《たもつ》を悼む」歌・恩師岡野より届きたり安江茂氏が読む

長谷川政春・田村広志・一ノ関忠人の弔辞

弔辞読む三人《みたり》の男それぞれのナルセ語りぬ涙たり来る

角川「短歌」十月号・「白鳥」十月号作品の朗読

わが追悼いまし竟《を》へたり成瀬有最後の作を礼《ゐや》読みあげて

啜り泣くこゑ響きをり読経やむ葬儀・告別式の合間に

お別れのとき迫り来て切り花を棺に容れつ悲しみ極む

汝が骨を拾はむことは辛きこと遺族と共に火葬場《やきば》に来たり

喉仏しかと存《あ》りたり「白鳥」の代表として使へる咽喉《のみど》

骨あげにゐ並ぶわれと英治《えいぢ》氏と三途の川の「箸渡し」する

天翔《あまがけ》る「八尋白智鳥《やひろしろちどり》」と化りて眠れ。汝が白き舎利《しやり》、骨壺に盈《み》つ

＊

名《な》を呼べば応ふるごとし眼を閉ぢて横たふ汝れのああ旅すがた

瑠璃色《るりいろ》の浄土世界に場を移し佳き短歌《うた》つくれ真旅《またび》つづくも

迫《せま》り来る汝がおもかげはうら若したゆたふいのち鎮もるを待つ

五　さらば、白き鳥よ

本名の「有《たもつ》」ならざる歌人《うたびと》の呼び名「有《いう》」にて生き、そして死す
「新鋭歌人叢書」の一冊《ひとつ》『游べ、櫻の園へ』を提げて歌壇デビューす
在りし日に歌集五冊を世に問ひて模索しやまず「歌とは何か？」
運動体・歌誌「白鳥」を興さんと熟慮断行ああ成瀬有
歌誌「白鳥」代表成瀬有として〈歌の滅び〉を切《せち》に意識す
歌誌「白鳥」十九年間《じふきうねん》の収穫のひとつなり「沼空百歌輪講」
玉城徹の言葉に拠りぬ『沼空短歌の読み方』といふ主表題《メインタイトル》
〈歌人〉への挑発なりき共同研究「沼空百歌輪講」……現在《いま》も
水しぶき撒きて飛び立つ白き鳥いまし解散する歌誌ひとつ
去るものは日々に疎しといふなかれ汝《な》の盟友《とも》ふたりすでに世になく
みつまたの花をこよなく愛するとつね語りゐし春のゆふべは
成瀬有に捧ぐる歌集『さらば、白き鳥よ』を提げてわれも飛び立つ

Ⅲ　なゐ震る国

なゐ震《ふ》る国（壱）

山は崩《くづ》れて河を埋《うづ》み、海は傾《かたぶ》きて陸地《ろくぢ》をひたせり。……恐れのなかに恐るべかりけるは、ただ地震《なゐ》なりけりとこそ覚え侍りしか。（方丈記）

なゐの国　俄《には》かに崩る。触れもなく、揺《ゆ》り揺れ揺られ、みな立ち尽くす

土瀝青《アスファルト》　割れて噴き出す水の束。なゐ揺《よ》る国の弱さ、露呈す

本棚の「折口全集」傾《なだ》れ来て、跳ね飛ばしたり。寺山修司

海やまのあひだに　生くる人々の、逃げまどふ見ゆ。画面の奥に

襲ひ来る波より　逃ぐる人々の、怒号と悲鳴　テレビにて知る

三ヶ月《みつき》前　わが訪ねたる陸《みち》の奥、漁船《ふね》・自宅《いへ》・自動車《くるま》　波濤《なみ》に呑まるる

人間の叡智《えいち》　及ばぬ天地《あめつち》の、憤怒《ふんぬ》か。波の破壊力《エネルギー》　激烈《はげ》し

無慈悲なり。津波の仕業《しわざ》、東日本沿岸襲ふ。根こそぎ奪ふ

三陸《さんりく》地方の伝承《をしへ》とふ「津波てんでんこ」――各自・全力ばらばら逃げよ

さゐさゐと寄る波にさへ、押す力　引く力あり。まして海立《つなみ》は

なゐ震《ふ》るは国の宿命《さだめ》と、みな知るも　人智を超ゆるものの　すべなさ

配水管　震災直後に破れたり。校舎裏　高く、水噴き上がる

鉄道は全《また》く動かず。帰る手段なき生徒　十三名、学校に宿泊す

「首都東京《しゆととうきやう》」「鉄道運休《てつだううんきう》」「震度五強《しんどごきやう》」「帰宅難民《きたくなんみん》」「拡大数多《くわくだいあまた》」

「東日本大震災《ひがしにほんだいしんさい》」「死者日日増加《ししやひびぞうか》」「義援金詐欺《ぎえんきんさぎ》」「多発暗澹《たはつあんたん》」

なゐ震る国（弐）

福二といふ人は海岸の田の浜へ婿に行きたるが、先年の大海嘯《おほつなみ》に遭ひて妻と子とを失ひ、生き残りたる二人の子と共に元の屋敷の地に小屋を掛けて一年ばかりありき。（遠野物語）

道路《みち》裂けて建物《いへ》崩れ落つ。触れもなく、大地震《おほなゐ》起きぬ。人智及ばず

人間の叡智　遙かに大津波、集落《まち》を引き摺る。言葉……うしなふ

逃げまどふ人ら　画面にあふれゐて、あれよあれよと怒濤《なみ》　迫り来る

余りにも慈悲なき地球《テラ》の、為業《わざ》なるや。建物《いへ》漁船《ふね》自動車《くるま》なべて、呑み込む

海やまのあひだを海嘯《つなみ》　遡上して、たまゆら　命を剝奪《うば》ふ。激烈《はげ》しさ

地震頻発《しき》り、揺りかへす日々。「復興」の二文字《ふたもじ》　軽《かろ》し。新聞見出し

蜚語《デマ》あまた、世を駆け巡る。情報化社会《ネットワーク》の果《はた》て§§§連鎖的手紙《チェーンメール》

地震《なゐ》・海立《つなみ》・放射線漏《はうしやせんもれ》・三重苦《さんぢゆうく》・県民《けんみん》・無惨《むざん》・原発《げんぱつ》・飛散《ひさん》

原子力《げんしりよく》・安全神話《あんぜんしんわ》・即崩壊《そくほうくわい》・隠蔽体質《いんぺいたいしつ》・露呈《ろてい》・風評《ふうひやう》

農民ら悔し涙す。農作物《のうさくぶつ》　風評受けて今朝も、潰せる

ひと昔前に　逝きたる仁三郎《じんざぶらう》。脱原発を　生命《いのち》懸け、説く

被災地のさくらの便り、待ち侘ぶる。計画停電中の東京《トキオ》に

なゐ震る国（参）

1、大震災発生直後　～職員室より被災地へ～

ぐらぐらと校舎揺れたり　がちやがちやと窓が鳴りたり　揺れやまぬ職員室は　本棚のダンボール落ち　入り口に生徒の悲鳴　三人の女子しやがみ込み　落ち着けと叫びたるこゑ　室内の空気張り詰む　情報を得んと点けたる　テレビには速報の文字　天災は忘れし頃に　人間の叡智はるかに　映像の示す現実　次々と切りかはりゆく　脅威なる自然の姿　岸壁を越えて寄せたる　海水の呑みこむ町は　人間の営為根こそぎ　瓦礫へと姿変へゆく　アナウンサーの声は上ずり　繰り返す津波警報　その時はすでにむなしく　東日本沿岸あまた　ぐいぐいと波押し寄せて　自動車も船も港も　市街地も家も畑も　電線も橋も線路も　術もなく呑みて引き摺る　津波とは水の固まり　家さへも木つ端微塵に　容赦なく砕くケダモノ　なゐ震るを覚悟してゐる　日本人われらのこころ　わづかにも驕れる気持ち　なかりしと誰が言へるか　繰り返す自然の仕業　自分には及ばぬものと　人はみな狼少年　悪者はいづこにもゐず　自然との共存のみが　人類の生きのこる道　この度の大震災を　教訓と家訓に為さん　本当にほんに恐ろし　津波かなしも

＊

むなしきはサイレンの音。「高台に非難せよ」とぞひた繰り返す

飼ひ犬に餌をやらんと引き返し帰らぬ友を嘆く町びと

橋の上に取り残さるる人らゐて波迫りくる映像あはれ

流さるる車の中は阿鼻叫喚、なすすべもなし。眺めゐるのみ

襲ひくる津波は家屋《いへ》をなぎ倒す。砂けぶり、ああ水濁りたる

2、大震災発生以後　～天災より人災へ～

沈黙ののちのむなしさ　被災者の多くを襲ふ　なゐなれば諦むべしと　被災せぬ人は語れど　生くるすべ活計《たつき》うしなひ　はしきやし家族うしなひ　被災者は心の糧に　何をもて生きよと言ふや　過激なる言の葉あまた　その中に福島の人　詩人なる和合亮一　震災後六日目よりの　つぶやきは刺激的なり　福島の原発事故は　人災と認めらるるも　対策は未だ叶はず　放射能静かに降る夜　つぶやきは憤怒《いかり》に変はり　機関銃のごとく噴き出す　言の葉に魂を込め　ひたすらに主観的なる　復興の音頭取るべき　政治家は己が保身に　政争の痴話喧嘩して　被災者の声は届かず　形式《かたち》のみ被災地を訪ひ　心《うら》うすき言葉を吐きぬ　いくそたび山の怒りは　いくそたび海の怒りは　この先も襲ひくるもの　政治家の務めは未来　この国に幸を導き　沈黙の被災者たちに　あしたへの希望を配る　天災と人災かさね　三重苦四重苦なる　福島の未来のために　政治家に希望を託す　そんなもの何処にあるかと　怒鳴るこゑテレビゆ聞こえ
　東京にわれは住めれば　為す術もなく日々は過ぎ　せめてもの義援金など　送りたる偽善の果ての　言葉むなしも

＊

「行方不明」「身元不明」の文字つらし。難課題《トラブル》やまぬ避難所暮らし

「頑張らう！ニッポン」と、何を頑張るや。国家総動員なる気配

詩のつぶて　投げゐる男。つぶやきを重ねかさねて、被災地に生く

避難所に響かふ　深き呪詛のこゑ。土下座する東電社長の肩に

はしきやし妻子《つまこ》うしなひ住居《いへ》うしなひ仕事うしなひ、他に何ある

なゐ震る国（四）

旋頭歌は所謂、本質的に、
問答的の発想を持つてゐる。　折口信夫

退《ひ》きてのち破壊力《エネルギー》溜め攻め来たる怒濤《なみ》
漁船《ふね》自動車《くるま》建物《いへ》呑み込みぬ悪夢の様《さま》に

海やまのあひだ根こそぎ引摺り去るか
お前にはウラミごとしか遺らぬうらみ

いさなとり海や死に顔かばね水漬ける
あしひきの山や死に体くづれ埋めたる

家族写真なべて流れて余震に慣れて
避難所に炊出しの列ゆらりと延びて

膝まづき被災者目線の天皇《すめろき》あはれ
素通りの首相の背《せな》に罵声飛び交ふ

只管《ひたすら》に片付けてなほ残る瓦礫礫
直向《ひたむき》に復興めざすわれら日本人

夏草やつはものどもが踊る輪の中
草原《くさはら》を疾駆《はし》れ撫子やまとまほろば

ふつふつと湧きくる怒り誰に向けんか
福島の朋友《とも》はぶつぶつつぶやくばかり

避難指示出され無理やり避難所暮らし
フクシマの空にあやしく真紅《あか》き雲浮く

胸に抱く赤子をしかと毛布にくるむ
放射能しんしんと降る夜半《よは》の避難所

麗しと吾がおもひ来しあまた田や畑《はた》
けふもまた数値上昇、放射線測定器《ガイガーカウンター》

知らず…越ゆ…「年間積算放射線量」
局所的「ホットスポット」なるは恐し

校庭《グランド》に土つみあげて早また埋めて
たれも来ぬ公園にただ鞦韆《しうせん》揺れて

放たれて町中《まちなか》あゆむ牛たちの群れ
自由とは責任を解く意思の顕はれ

人為的核種「セシウム」１《いち》・３《さん》・７《なな》
除染せよ過現未なべて牛豚《うしぶた》・お茶も

東京の真ん中にあらたしき原発を
みどりなす塚本邦雄逝きて久しき

節電に勤しめる夏はやも過ぎんか
明日もまた電気予報に右往左往す

えびす顔甘き言葉をささやき去るか
貧しかる土地に突然火をともす魔女

原子力保安院なる院政の時代《とき》
役人の思ふがままに安全神話

ふたむかし前なる記憶、朝生《あさなま》テレビ
高木氏の熱弁あはれみな打ち消さる

東電の友と飲む夜の麦酒《ビール》苦《にが》かり
慎重に言葉を選びながら批難す

都合よく切り取られたりテレビ映像
大衆媒体《マスメディア》これでもかとの演出をする

志なかばにて去る魔女ひとり佇つ
お別れの言葉にしばし詰まり涙す

なゐ震る国（五）　―フクシマを想ふ・壱―

弓形の火山列島　アポロンの矢に射抜かれて軋む音する

きりきりと弓　引き絞り、列島のさくら前線いま北上す

弓の先　斧ふりかざす青き森。揺るる大地を早も、搗《か》ち割れ

見つからぬ屍《かばね》いくたり「時間《とき》の喪」を越えてみちのく無慚ざんばら

青白き煙霧《けぶり》ゆらげる海沿ひの「墓標」六基に近づくなゆめ

「飛散」とは「悲惨」の謂ひか。花粉症ならぬ花粉をバラ撒きて、春

着地点先《さき》着にありきの「出来レース」ヤラセ地獄の蔓延《はびこ》る日本《ニホン》

「閻魔王《えんまわう》」はや逃げ帰る。権力に巻かるる舌を抜きに来にしが……

天翔る未生《みしやう》以前の子供たち……「墓標」にかけよ。浄き小水《せうすい》

被曝量たれが計るや。町なかを「放たれ牛」は彷徨《さまよ》ふばかり

繋がれて畜舎に餓死す。乳牛《うし》あまた「黄油《バター》」のごとく肉塊《にくくわい》は融け

夢のなか「鉄腕アトム」顕在《あら》はれて十万馬力……瓦礫処理する

おしらすに御用学者の首ならべ「大岡裁き」受けさせて見む

作為的《さくゐてき》安全神話《あんぜんしんわ》↓天下《あまくだり》天国《てんごく》日本《にほん》↓原子力村《げんしりよくむら》

平和的《へいわてき》利用不可能《りようふかのう》？原子力《げんしりよく》開発事業《かいはつじげふ》！机上空論《きじやうくうろん》

なゐ震る国（六）　―フクシマを想ふ・弐―

天災か否、人災か。「Fukushima」に春来る鬼はまだ見当たらぬ
魔女ひとり永久《とは》に葬《はぶ》らむ福島の荒地に墓標あまた並べて
政治的主導のもとに五十年　原発は国家の威信なりしが
アメとムチ使ひ分け来し政治家の悲願すべなし原発事業
声高に「脱原発」を叫びをり陽だまりのなかあゆむ家族ら
「脱原発反核署名一千万憂国日本着地点何処？」
鬼の首取りたるごとし報道の倫理はいつも力こぶ持つ
たんぽぽの綿毛のやうにふんはりと風のまにまに舞ふ粒子線
夕焼くる安達太良山に赤とんぼ　見えざる敵と向かふがに飛ぶ
くらげなすただよふものは見えぬもの　げに恐ろしき。散りぼふものは
ドヤ顔の「原発事業」見直され、本当《ほん》に明るき朝《あした》は来むや
幸不幸その境目は紙一重、たとへば原発事故を想へば
慈悲無慈悲その解釈も運次第、たとへば義援金の配分
詩のつぶて投げたる人の心意気しかと受け止む。素手にてあれど
忘れまじ。三・一一《さんてんいちいち》……九・一一《きうてんいちいち》……一・一七《いちてんいちなな》　なゐの震る国

なゐ震る国（七）　―フクシマを想ふ・参―

爆音

大津波《おほつなみ》襲来《しふらい》原発《げんぱつ》非常用電源喪失《ひじやうようでんげんさうしつ》危機《きき》管理《くわんり》零点《ゼロ》
久羅下那須多陀用幣琉《くらげなすただよへる》午后《ごご》放射性物質《はうしやせいぶつしつ》拡散《くわくさん》回収《くわいしう》不可避《ふかひ》
放射線《はうしやせん》飛散《ひさん》拡散《くわくさん》局所的《きよくしよてき》濃度《のうど》凝縮《ぎようしゆく》土壌《どじやう》地点《スポット》
軽水炉《けいすいろ》濃縮《のうしゆく》U《ウラン》炉心溶融《メルトダウン》機能喪失《きのうさうしつ》覚悟《かくご》爆発《ばくはつ》
暫定的《ざんていてき》早口言葉《はやくちことば》瓦斯《ガス》爆発《ばくはつ》巴士《バス》瓦斯《ガス》爆発《ばくはつ》核爆発《かくばくはつ》爆音《ボン》
防護服《ばうごふく》防毒防具《ばうどくマスク》除染《ぢよせん》作業《さげふ》自衛隊員《じゐいたいゐん》警戒区域《けいかいくゐき》
自衛隊《じゐいたい》人気《にんき》沸騰《ふつとう》英雄視《えいいうし》数多《あまた》被災地《ひさいち》勤務《きんむ》敬礼《けいれい》

折句

沖つ波秀波《ほなみ》おし寄せ潰《つひ》えたり並みたつ墓標みな破壊して
研究の意気地《いきぢ》をかけてする作業いろはの「い」の字、論より証拠
棒《ばう》をもて有象無象《うざうむざう》の護摩の灰《はひ》払拭せんと暮らすフクシマ
自暴自棄笑《ゑ》むこともなし命得て生計《たつき》奪はれ生くるむなしさ

物名

手につかめ大綱みなの命綱波濤《なみ》に呑まるる間際に縋《すが》れ
右腕に時計す色の変はりたる波濤おし寄する午後三時半
迫りくる高波《かうは》に怯え揺るる船首《バウ》業苦《ごふく》の果てに「原子炉建屋《たてや》」瓦解す
指示受けて避難所暮らし数ヶ月さびしゐ幼気《いたいけ》なき児の笑顔

なゐ震る国（八）　―かの日より―

かの日より三六五日《さんろくごにち》。「去る者は日々に疎し」と誰《たれ》が、思ふや

かの日より余震《なゐ》くり返す　大八州《おほやしま》。「まな板の鯉」国民《たみ》の不安、増す

かの日より「白砂青松」根こそぎに奪はれ、一本松　残りたる

かの日より見晴るかすもの、防潮林。「雲散霧消」高田松原

かの日より「さはらぬ神にたたりなし」。瓦礫、木片　積まれ動かず

かの日より「臥薪嘗胆」被災者某　再建めざし、息の緒を継ぐ

かの日より「比翼連理」の麗しさ。奪はれ、久夜思《くやし》……牟奈之《むなし》……可奈之《かなし》

かの日より「青菜に塩」の被災者ら、冬来たりなば……厳し。現実《うつつ》は

かの日より「一寸先は闇」と識る。電源喪失　予想だにせず

かの日より紙一重なる　生者、死者。「泣き面に蜂」フクシマは……現状《いま》

かの日より「餅は餅屋」と　原発の学者ら、主張する。自己理論

かの日より「不倶戴天」の原子力。あはれ、国家の威信　消え去る

かの日よりひたぶるに待つ　半減期。「六根清浄」魂《たま》振りたまへ

かの日より「前門の虎……」フクシマの警戒区域、いまだ復さず

かの日より「綱紀粛正」節電にわれら勤しむ。緬羊《ひつじ》のごとく

かの日より合言葉なる　脱原発。「対岸の火事」あまた、日本人

かの日より「汚名返上」反原発批判を重ね、吉本氏……死す

かの日より「絵に描いた餅」政策は机上の論理……役に立たざる

なゐ震る国（九）　―ニソの杜《モリ》・福井県おおい町大島―

一目《ヒトメ》見む　若狭の果てのニソの杜、自動車《クルマ》走らす。小浜《ヲバマ》湾沿ひ

市街地と岬山《サキヤマ》むすぶ　海上橋。青戸《アヲト》の大橋わたり、訪ねむ

海やまのあひだ　息づく浜人《ハマビト》の、黒き肌へに皺深く、見ゆ

畑《ハタ》を鋤《ス》く老女《オウナ》　途惑ふ。ニソの杜、覓《ト》むるわれらの言葉　聞きつつ

知らぬが―、と老女　指さす畑《ハタ》向かう。山の裾辺《スソベ》にタブの森、見ゆ

誘《オビ》かるるやうに入りゆく　森の奥。木が裂け、倒るる。「浜禰《ハマネ》の杜」……か

新聞の記事にて知りぬ。「浜禰の杜」台風に因《ヨ》り、祠《ホコラ》壊る―、と

注連縄《シメナハ》も御幣《ゴヘイ》もなきに　神の森。タブの大木囲むがに、坐《マ》す

山裾の畑には老女　もう一人、声かけやれば、「おお」と返事す

早口に「今朝……、終へたる」と呟きて、老女　指さす。あらたなる森

うす暗き森の奥処《オクカ》に　ゐやゐやと　小《チ》さき祠の鎮《シヅ》もるが、見ゆ

藁の上《ヘ》に供物。御幣立て、赤飯とシロモチ重ぬ。祠の前に

この森は「上野の杜」……か。民俗の息づく　木《コ》の下闇《シタヤミ》にたたずむ

神の森の静けさ―。山の向かうには　大飯《オホヒ》原発しめやかに、佇《タ》つ

未曾有《ミゾウ》なる大震災の、その果ての　原発停止　為《セ》む方もなし

吉本隆明《ヨシモトリュウメイ》　満足なるや。再稼動　先にありきの泥鰌《ドヂャウ》首相に

暫定的基準に拠《ヨ》れる　再稼動。不足《フソク》と不安《フアン》、天秤に掛け

首相官邸より遥かなる　ニソの杜。無形民俗文化財と、為りたるが……

付記

二〇〇九年十一月二十三日、白島の仲間四人で訪ねたのは福井県の南西部、京都府との県境に位置する大島半島であつた。目的はその日に行はれる祀り、「ニソの杜」を見ることにあつた。「ニソの杜」は特定の家がそれぞれの所有する森（タブやシヒで覆はれた神聖な杜）で祖霊を祀る行事である。半島内の三十二ヶ所（諸説あり）で行はれるといふ。その祀りは、二十二日の夜から翌未明にかけて「ニソの杜」（所在地によりそれぞれの呼び名がある）にゆき、注連縄を張り御幣を立て、藁の上に新米で作つた赤飯とシロモチを供へ、深く手を合はせて祈る儀式である。柳田国男も関心を持つたといふこの杜は、半島中央部の山と東側の海との狭間、まさに「海やまのあひだ」に脈々と受け継がれてきたのであつた。半島を覆ふ照葉樹の杜には、確かに古代が息づいてゐた。しかし、その杜から山ひとつ向かう側には、いま話題となつてゐる関電の大飯原発が存在する。古代のすぐ隣りに最新の現代が潜んでゐるのである。私たちが訪ねた五ヶ月後の翌年三月に、「ニソの杜」は国の無形民俗文化財に選定された。三十数年前の原発誘致によつて生活が飛躍的に豊かになつた過疎の地は、いま未来を探しあぐねてゐるのだらうか。

なゐ震る国（十）　—十八ヶ月—

かの日より十八《じふはち》ヶ月《かげつ》の季《とき》過ぎて日々の暮らしにゆらぐ危機感

水を張りボールに入れし三陸のワカメぐんぐん殖えてはみ出す

三陸の復興支援なるひとつ「わかめサポーター」の募集終はりぬ

復興の象徴なるや鮮魚店に三陸のさんま其の身を晒す

「気仙沼直送さんま」食卓に並べ復興ねがひ味はふ

奪はれしあまたの命そのかみの映像いまだ鮮明に顕《た》つ

百年を読み継ぎ来たり明治三陸大津波の逸話ある物語

霧の布《し》く月夜《つくよ》死にたる妻に遭ふ男かなしも今回《いま》はた同じ

安売りのドラッグストアのレジ横に線量計が並ぶニッポン

福島産新米コシヒカリ10kg三四八〇《サンヨンパー》円この安さこそ国を露呈《あらは》す

東電に勤むる友と飲む夜半《よは》の議論むなしき企業の論理

企業倫理に救はるるなし生活を奪はれ呆《ほう》とする町人《まちびと》は

後ろ髪を引かるる思ひ故郷《ふるさと》に遺して友の友はさすらふ

政治的解決不可避！否不可能！原発事業縮小！暗澹

放射能汚染土！最終処分場！青天霹靂！反発地元民

Ⅳ　大島回想

大島回想（春）

去年《こぞ》の春われは赴任すこの島に波の穏しき相模灘越ゆ

四月馬鹿この転勤はもしかして嘘かも知れぬ否うそとなれ

桟橋に降りたつ晴れの元町港ああ何といふ島のまぶしさ

春うらら麗らかならぬわがこころ不安は沈む澱のごとくに

砂浜に椰子の実ひとつ転がれる伊豆の大島、わが赴任の地

都立大島南高校海洋科単身赴任のわが生活《たつき》の場

本務にはあらざる勤務　寄宿舎の舎監勤務の引継ぎを受く

エネルギー溢れてときに破目はづす生徒ら若し寮に暮らせる

実習船の名は「大島丸」五百トン　波浮の港に今朝入港す

青春の希望を胸に「大島丸」いまし旅立つ朝陽の海へ

島山にしきり鳴く鳥あまたゐてこころ和ます大島の春

風つよき春のあしたにただひとりトウシキと呼ぶ断崖にたつ

小説に描《ゑが》かるるほど栄えゐし波浮港いまは人まばらなる

ゆふぐれて潮満ち来たる波浮港に鯔《ぼら》跳ぬる音くり返し聴く

椿咲きトンネルとなる観光地リスの鳴くこゑ初めて聴きぬ

大島回想（夏）

わが住むは伊豆大島の南部なる差木地《さしきぢ》といふ集落の果て
真夜中にほととぎす鳴く山裾のわが住宅は霧につつまる
黒潮の寄せくる島は風の島いつもかすかに潮の香匂ふ
東京都大島町になきもののひとつコンビニふたつファミレス
弘彦の書斎より見し大島にわれいま住みて伊豆を眺むる
風つよき岬に立てり海へだて向つ山なる天城山見ゆ
豊かなる乳房のごとし乳《ち》が崎は為朝伝説残る古戦場
〈常夏〉の島ならざれば〈常春〉の島と記さるパンフレットに
島住みに慣れきたる頃いさり火を見てゐてふいに哀しくなりぬ
ゆふぐれて烏賊釣り船のいさり火は等間隔に沖に浮かびぬ
満天の星の空なり島の夜半《よは》ひとつまたひとつ星の流るる
三原山登山路に萼《がく》あぢさゐのむらさき群るる初夏の大島
火口より白きけむりが立ちのぼりまだ活きてゐる大島・三原山
「夕立《かんだち》は馬の背分くる」といふ伝へああ確かなり夏のゆふぐれ
三原山の砂漠砂礫の斜面より風吹きおろし夏過ぎむとす

大島回想（秋）

海よりの霧と山より下る霧ともに迫りく大島の秋

海霧と山霧せめぎあふ狭間わが住む地区は島の果てなる

海暮れて波音のみの砂の浜われは寝転び闇と語らふ

看板にあかり灯れば活気づくスナック「サボーイ」まだ踏み込めず

「海面に鯔《ぼら》が跳ぬれば雨降る」と俗説にいふ当てにはならぬ

カルデラにすすき穂ゆるる三原山　溶岩流の跡なまなまし

押し迫る溶岩流の緊迫感ああ人間はちつぽけな猿

葛の花うすむらさきに垂るる道　猿の親子がふいに横切る

目をあけて幸せさうに死んでゐるリスと目があふ秋の散歩道

砂浜に流れつきたる瓶ひとつギラリきらめく秋の夕陽に

教室より見ゆる利島と新島の真中にぬうと陽は沈みたり

水平線百八十度の海原に釣瓶落としの秋暮れむとす

屋上に上《のぼ》れば遠き島あかり島かげが見ゆ満月の夜

皓皓と十五夜の月さ夜ふけて利島新島照らしやまざる

飛行機も船も止まりぬ風つよき晩秋の午後、島は孤立す

大島回想（冬）

高速船波濤《なみ》分けすすむ相模灘みぎひだり飛び魚の群れが従ふ

海面にふいに浮上す。潜水艦、大島沖を悠然と過ぐ

鎮西八郎為朝流されゐたる島ここは大島、椿の島よ

全国に数ある大島そのひとつ伊豆の大島、星の降る島

木枯らしの吹きすさぶ夜《よ》はひとり居の淋《さみ》しさに読む般若心経

寂《さび》しさの極みを知りぬ冬ざれの波浮の港に海鳥鳴けば

映画『リング』

嵐なる波浮の港に叫ぶ声　松島菜々子の顔、強《こは》ばれり

トウシキ職員住宅・二号棟・二階・二〇二号室・部屋数二つ

贅沢は週に一度のチキンカツ波浮港名物・鵜飼《うがひ》商店

海の凪ぐ冬の真昼間くつきりと三宅島見ゆ噴煙も見ゆ

天を刺し槍のごとくにそそり立つキダチアロエの朱紅《あか》き花むら

早咲きのオホシマザクラ真白きが紅き椿の真上にひらく

卒業式終へて実家に戻る生徒《こ》ら客船《ふね》に見送る紙テープ投ぐ

門前に市なすことも渋滞もなきがよろしさ島暮らしなる

一年《ひととせ》を暮らせどいまだ慣れざるは唐突に鳴る防災無線

常春の島

黒潮の影響ありや。〈常春《とこはる》の島〉と呼ばるる　伊豆の大島

水平線に沈む太陽、島の南部。見る場所により大きさ、違ふ

海へだて伊豆の山なみ　冴ゆる秋。家族と離《さか》り住むは淋《さみ》しき

島民《しまびと》が〈御神火《ごじんくわ》〉と呼ぶ三原山。神なる山は島を　うるほす

三原山生まれ、ゴジラは破壊神。〈御神火〉吹いて、地球《テラ》を救ふや

三原山　火口原、けさは霧ふかし。溶岩流も道も　見分かず

月面のごとき寂《さび》しさ。裏砂漠。岩滓《スコリア》と呼ぶ軽石《マグマ》　広がる

若者ら汗だくとなり、ひたに打つ。〈御神火太鼓〉耳に張りつく

年増なる〈大島娘《あんこ》〉の踊り、見てゐれば、ゆつたりと過ぐ。島の時間は

〈あんこ〉とは年上女性、姉のこと。若き大島娘よ〈スーパーあん娘〉

大島にカッパゐたるといふ伝説。ほほゑまし。川のなき島なるに

海亀の産卵にくる　砂の浜。三原おろしの吹く　夏の夜

人まばらなる夕まぐれ。波浮の港、時をり　鯔《ぼら》が跳ねて音たつ

電線を器用に　渡るリス一匹。威嚇するがにひと声、鳴けり

椿咲き、島を訪ぬる人ふえて　港にぎはふ。春のことぶれ

王様はリス

四季問はず伊豆大島は風の島いつもざわめく椿の森は

朝まだき椿の森をあゆむとき鶯のこゑ闇にこだます

薄暗き椿の森に住む人ら風のまにまに生きの緒を継ぐ

樹齢何百年なる椿トンネルを成すほど育つ根を露《あらは》にす

この島に根ざす多くの生き物の王様はリスわれの結論

昼下がり椿並木の下ゆけば我がもの顔のリスと目があふ

電線をするする渡る一匹のリスあり椿の森へジャンプす

日常の延長として死はあるか車道の真ん中あふ向けのリス

つぶらなる目を開き死す幸不幸紙一重なりリスもわれらも

道端にアロエの朱紅《あか》き花ならぶ大島ここは常春の島

潮はやき乳《ち》が崎沖をゆく船の小《ち》さきが白き波間漂ふ

強く疾《と》き風にさらされ崖の上イソギクは地にへばりつき咲く

春ふかき弘法浜のゆふまぐれ椰子の木の影ながく延びゐる

筆先のごとく海よりそそり立つ奇岩「筆島」御神体なる

あの夏の大島沖の海の色われは忘れじ恩寵として

友を見送る

友らみな　旅人となる
客船の、
　銅鑼《どら》鳴りひびく
　　秋晴れの午後

銅鑼《どら》鳴りて、ゆらりと
　傾《かし》ぐ　かめりあ丸。
雲なき空に
　紙テープ　舞ふ

水脈《みを》をひき、
　岸離りゆく　定期船。
心ほがらに、送る
　　さびしさ

　息ひとつ　ほうと
吐《つ》きたり。目を凝らし、
　船上の友
遠ざかる　見つ

海へだて
　見ゆる天城嶺《ね》、大室山。
　　渡りゆきたし。
　伊豆のはるけさ

水平線の彼方
　真紅の太陽の、
沈む　たまゆら
　わが若さ、燃ゆ

　友送り、帰り
立ち寄る　スーパーの
　安売りセールに
　　ほのぼのと、ゐる

店内に　鯵のくさやの
　　臭ひ満ち、
　スーパー「ベニヤ」
ゆふべ　華やぐ

大島詠物集（海岸篇）

乳《ち》が崎

陸軍少佐
福井某氏の忠魂碑
この岬山《さきやま》に
自決す。二十七歳

土田耕平歌碑

影曳きて
土田耕平　歩みしか。
かの日のとほき
潮鳴りを聴く

元町港

ターミナル前の
食堂「かあちゃん」の
べつかふ寿司の
味　辛かりき

砂《さ》の浜

波音の絶えざる浜辺
散歩する
若き女と
犬と、風船

波浮港

岸壁に潮満ち、
溢るる　大潮の
ゆふべ　ひたひた
迫りくるもの

オタア・ジュリア

海に向き、白き
十字架　立つ
丘に、殉教者オタイ
流されて来ぬ

オタイの浦

遠流《をんる》の地
ここ大島に　連れ来られ、
朝鮮婦人
オタイ哭く浜

西海岸

海へだて
伊豆半島と　向かひ合ふ
椰子の並木の
続く　西海岸《サンセットパームライン》

大島詠物集（内陸篇）

外輪山頂上

国見するごとき
思ひに　見下ろしぬ。
伊豆の海やま
煙《けぶり》　立ちたつ

桜　株

冬ざれの
三原山中　さびしきに
なほ　寒々し。
桜株、雨

三原山地蔵尊

五合目に
地蔵六体　置かれ
ゐて、若く死にたる
者ら　弔ふ

三原山中

草むらに　ひそひそ語る
声　聴こゆ。
若き死者らの
無念集まる

名代　歌乃茶屋

離《さか》り住む
わが妻思ひ、子を想ひ、
ひとり　蕎麦喰ふ。
歌乃茶屋に

三原山頂口

のどけさの　限りを知らず。
うぐひすの
鳴き渡る　声
茶屋に　響けり

割れ目噴火口

山の中腹より
押し出され、溶岩流
町に近づく
ままに　固まる

三原山麓

林道を
ひたすら　歩む。
陽射し　濃き、日曜の
昼　逢ふ人もなし

V　父の死

病む父

肺を病み日ごと衰へゆく父のふくらはぎ蒼き静脈が浮く

加速せよ。いちやう並木の国道を苦しむ父を乗せ、ひた走る

咳こみて歩けぬ父の肩ささへ救急外来の扉おし入る

ひと目見て「入院させよ」と言ひ放つ当直の医師、診察の前

チアノーゼ酸素不足の証拠ぞと若き医師言ふ危ふさを説く

真白なる闇ひろがれりレントゲン写真に父の肺見当たらず

国による難病指定の病名を告げられて父、穏やかならず

父を乗せ初めて車椅子押したり前輪が曲がり、うまく進まず

車椅子の旅「一階の左奥……」「二階の右隅……」と検査室めぐる

父の衰弱からうじて止む酸素吸入最大量にて治療続けば

点滴に縛られ酸素マスク付け退屈至極動けぬ父は

結婚後四十五年目の秋過ぎて母うつろ病む父を看護す

病棟に靴の音つか、つかつか、つか。夜勤看護師止まり、立ち去る

ぶかぶかの寝巻きより出づ病み痩せて棒のやうなる父の手と脚

歩くことままならぬゆゑ日ごと夜ごとわがままを言ふ病み重き父

神の領域

神の領域なれば予測は不可能と父の死はたれも触れ得ざる闇

病状を説明に来る若き医師「最善尽くす」と義務的に言ふ

「手術せねば助からざる」と言ひてのち「麻酔は出来ぬが」と医師は付け足す

間質性肺炎・腸閉塞また大動脈瘤ちちのみの父の現実きびし

呼吸困難・酸素吸入する父は命つながむためにこゑあぐ

唸りつつ息する父のこゑひびく〈大晦日〉廊下に人影はなし

苦しくて胸かきむしるといふ言葉ほんたうなり。父は咳き、かきむしる

父の手も脚も骨皮筋衛門　点滴のみに二ヶ月を生く

ごま塩の鬚髭《ひげ》もまばらに伸び育ち父の眉間の皺深みたる

「いまここに天皇陛下がお見舞ひに来た」意識混濁の父がつぶやく

真向かひの老人は今朝運ばれて意識戻らぬまま死すと聞く

檀那寺もたぬ我が家は〈いざ〉といふ時の始末に思ひ至らず

不謹慎なるや親族会議もて相談す父の死後〈いざ〉の果て

死にざまはいかにあらんか。はるかなる戦中戦後を耐へ来し父の

神の領《し》る生き死になれば昏々と眠れる父を見守《まも》るほかなし

命のはざま

冬ざれの遠山に陽があたるとき病室の窓あかく染まりぬ

エジプト展のミイラのごとし無防備に両膝たてて眠りゐる父

まなこ閉ぢ眠るあひだも苦しくて喘ぐ父なり肺炎治まらず

意識混濁する父の顔しわ深く声にならざるこゑ絞り出す

呼吸する父のくちびるあを黒し鈍色《にびいろ》きざす命のはざま

虚ろなる眼に見つめをり天井に黒く尾を引く染みの幾すぢ

点滴の針刺す腿に蝶のごとく内出血の形状《かた》なまなまし

鼻より腸に管さし入れて廃液を吸ひ取るけふも日がな一日

死ぬるまでこのまま苦しむほかなきか父の病状、日々重くなる

苦しさにこゑ出し喘ぐ父に向き「おはやう」と言ふ若き看護師

ナースコール押すことさへもままならず父の体躯は動かぬ枯れ葉

まなじりに涙うかべてわれを見るちちのみの父、病み痩せ弱る

力なく咳きこむ父の背をさすりわが願ひただひたぶるなりき

打ちつけし釘が一本折れてゐて冬の病室冷えまさりゆく

午後八時面会時間終はる頃われは覚悟す父の死近し

父の死　其の壱（最期の夜）

黄昏れてやがて静まる病院の個室にふたり父と向きあふ

見守れるわが声しかと聴こゆるか手の指をもて父よ応へよ

さ夜ふけて冷えまさりくる病室に父の呼吸の荒さ増し来る

死に近き父のくちびるあをざめて未練あるごと開く。半分ほど

心拍の衰へあつといふ間にて呼吸止まりぬ父は死にたり

呆気なく死は訪れぬ病室の酸素吸入器むなしく響く

空《くう》みつめまなこ動かぬ臨終の父を見守る言葉うしなふ

死ににける父のくちびる僅か開く息たえだえに生きたる証拠《あかし》

足早に当直の若き医師が来て父の瞳孔《ひとみ》を診《み》る。時刻告ぐ

真夜中に家族《うから》集ひて語れるは事後のあれこれ父に聴かすな

寡黙なる父なりしかど一度きりわが悪戯《いたづら》をきつく叱りぬ

白き布かけられ苦しくはないかなどと無為なることをふいに考ふ

命果てし父の蓬髪ばうばうと伸び放題なり母は気にやむ

看護師と医師が次々やつてきてお悔やみをいふ真夜の霊安室

線香を手向くるときは喪主からと言はれ気づけりわが役割を

父の死　其の弐（霊安室）

予想より霊安室は明るくて少し途惑ひ少し安堵す

仮安置されし祭壇それらしく花に囲まれ父横たはる

動かざる父と語らふ霊安室　愛別離苦の思ひかみ締む

愛別離苦恩愛別苦四苦八苦生生流転無常忘憂

胸板あつき父の体躯は死してのち物体と化す何処《いづこ》に運ぶ

葬儀社に連絡取れば搬送車が裏口に密《ひそ》と迎へに来たり

自宅には戻せぬがゆゑ葬儀社に頼みたり父を安置する場所

霊安室出でて左は非常口そこより父を運び出せとぞ

非常口を出づればうすら寒き真夜ゆつくりバックする搬送車

緊急に探したる場所　病院より遠く離るる倉庫なるらし

そろそろと走る搬送車の後ろわが車ゆく尾行のごとし

くねくねと曲がり曲がりて辿り着く住宅街の運送会社

夜明け前いまだ暗きに煌煌と明かりの灯る倉庫に入りぬ

倉庫内に抽出し式の冷蔵庫六《む》つほどありて遺体保管す

ずるずると台が出で来ぬ「棗家」と書かれし把手ぐいと引きたれば

父の死　其の参（旅支度）

摂氏五度に保たれてゐる抽出しに父の亡骸二日間置く

寝台車のごとき隙間は狭かろな辛かろなせめて窓ほしかろな

わが父よカプセルホテルと思ひ眠れ。許せよ、狭く苦しき部屋を

通夜の儀のあした今際《いまは》の父の顔おもひ出しをり桜舞ひ散る

満開のさくら花びら降るなかを父の亡骸運ばれて来ぬ

葬儀場に亡骸移す昼下がりひんやりと父、眼《まなこ》閉ぢゐる

寝かせたる蒲団は細し浴衣きて眠れるごとき父の横顔

親族が集まり父の旅支度ととのへやらむ略式ながら

本式の湯灌にあらずアルコールつきのガーゼに父の顔拭く

手甲《てつかふ》に脚絆《きやはん》・草鞋《わらぢ》と身につけて死出の旅路の支度始まる

頭上には笠置き胸に頭陀袋《づだぶくろ》を横たふ六文銭入れやりて

落とすなよ三途の河の渡し賃　六文銭をしかと握らす

本物の銭にはあらず印刷の六文銭に苦笑ひする

細長き蒲団ごと持ち棺桶に父を移せり儀式の終はり

白き衣装を体にかぶせ杖ひとつ入れて完成する旅支度

父の死　其の四（儀式）

旅支度を整へやれば父の顔おだやかに見ゆ棺に納まる
父を冷やすドライアイスのけむりたつ戦後引揚げ来し霧の海
通夜・告別式の読経依頼す浄土真宗西本願寺派の若き僧侶に
戒名を付くるためとぞ若き僧に父の人柄訊かれ途惑ふ
生演奏と司会の言葉かさなりて「通夜の儀」始まる春のゆふぐれ
「釈典賢」と新しき名を与へられし父よ冥途のみやげ忘るな
焼香の列に加はり孫たちは遺影の祖父にふかく礼《ゐや》する
夜伽して母と語らふ父のことあれこれ想ひ出せば朝来ぬ
参列者の胸それぞれに今日のみは父への思ひ満ちむこと願ふ
父の遺影見上ぐる人は幼き日われを抱きあげ海みせし人
喪主として祭壇横にすわりゐて職業人なる父の顔知る
春うらら窓の外にはさくらばな読経の声に合はすがに散る
遺影もち挨拶したるわが声を誰かが父に似るとつぶやく
台車より父を炉に入れ荼毘にふすああ今生《こんじやう》の暇《いとま》乞ひなる
もう強く咳くこともなし安堵せよ母と拾へる小《ち》さき喉仏

父の手記（終戦まで）

父死して十日目の朝、リビングにノート四冊あるを見つけぬ

「棗家系図」にページ始まり自らの人生を総括する父の手記

行間ににじみ出でをり「糞」のつくほど真面目なる父の不器用さ

樺太に過ごせる父の記憶を読む。戦前・戦後の十年に亘る

出征軍人乗せゐる列車着くたびに「日の丸」持ちて駅にゆく祖母

祖国《くに》のため「日の丸」を振る霧の朝。祖母は「国防婦人会役員」なりき

樺太に「遺骨」運ばれくる記述「日中戦争の直中」とあり

正座して午前六時のニュース聴く「十二月八日」十歳の父

勇ましき軍艦マーチに続きたる「大本営発表」と父は記憶す

「勤労動員」にゆくは「お国のため」なると軍国少年の父がつぶやく

旧制中学二年の父よ終戦間際「樺太防衛軍」の一員なりき

「草刈りは軍馬のため」と動員の父が働く牧場ありき

父の文字昂ぶりてをり。上官に「降伏ですか」と問へば即、殴られて

ひたすらに祖国の勝利を信じゐる父なりき遠い樺太の地に

「鉱山技師・地質調査士」亡き父の肩書き今もわが誇りなる

父の手記（敗戦後）

樺太の空をつん裂き「爆音」を立てて近づく戦闘機一機

父の乗るトラックめがけ「戦闘機」機銃掃射す敗戦後四日目

樺太に真岡事件のありし日は敗戦後五日目、ソ連軍侵攻す

戦闘状態いまだ終はらず引揚げ港「真岡」封鎖にみな落胆す

樺太に抑留されし父・十五歳《じふご》「徴用」と呼ぶ労働に就く

二年ほど「引揚げ船」は出でずして「祖国」は深く霧に閉ざさる

戦争に敗れたるゆゑ樺太は「日本にあらず」と父、書き記す

「ソ連政府管理」の下《もと》に暮らす日々「帰国命令」ひたすらに待つ

裸馬に乗り「ソ連兵士」が町に来て保管庫にある「物資」強奪す

元軍人みな捕らへられシベリアに送還されしと父は嘆かふ

唐突に「秘密警察《ゲーベーウー》」がやつて来て「言葉狩り」する樺太の町

敗戦後「二年目の春」日本への「帰国命令」知りて喜ぶ

「引揚者収容所」にてソ連政府の「所持品検査」行列をなす

引揚船「泰北丸」の船員が唄ふは田端義夫「かへり船」

生前に誰にも告げず書きあげし「父の手記」読む。悲しみにつつ

Ⅵ　歌ごころ

出版記念会

『家族の肖像』祝ふ集ひに五十人晴天なり今日はカシフ記念日

開会のことば「白鳥」安江氏のメリハリのある挨拶うれし

「学問が足りぬ」とわれに先制パンチ恩師岡野の熱情尽きず

白髪の岩田正氏かん高きこゑ張り上げてわが歌集切る

『冬の家族』の「冬」なる意味を考へよ身に染み込ます岩田氏の言《げん》

右手あげ「乾杯！」と叫ぶ松坂氏　穏やかなる笑みいつもと同じ

場内をぎよろり見渡す小池氏のスピーチ、歌の〈過現未〉語る

〈文体が「私」をつくる時代来た！〉こころに刻む小池氏の言

次々に続くスピーチわが歌集を切り裂け！苦言・提言・甘言

鹿児島県鹿屋より来し良太くん「ありがたう！」君の出番ぞ次は

元同僚杉本仁氏の好む歌『無援の抒情』なり五年前

妻子《つまこ》とふ〈追幻想〉のその果てに何ありや藤井常世氏の？《ぎもん》

花束を受け取るたびに肩の荷の重くなるやう明日の重さか

歌誌白鳥編集代表成瀬有閉会宣言当意即妙

司会進行了へてやうやく弛む頬　一ノ関氏の鬚髭《ひげ》も安堵す

歌ごころ

第一歌集『家族の肖像』表紙

装幀家伊藤某氏の謎かけを楽しんでゐる?・家?・族?・の?・肖?・像

ある友人曰く

「何もないあなたに歌は分からない言ひ訳ばかり才能もない！」

「あまりにも無自覚だから無知だから封印をせよ過去も未来も」

答へて二首

「流されて何が悪いかくらげなす漂へる時にわれら生きゐて」

「いつだつて自信はないさ決断の大きさが常に勝負ではない！」

〈過現未〉を粉々にせよわが歌集吸ひ込み砕け！電動シュレッダー

魂のあくがれ出づる夕まぐれわれの吐《つ》きたる真実《ほんたう》の嘘

作詞家になりたき夢は若き日の虻蜂取らず五十路《いそぢ》越えたる

憧れの吉岡治死してのちくらくら燃ゆるわが下ごころ

水槽に酸素ぶくぶく補給してわが熱帯魚けふも活かさる

網棚に忘れて来たる「歌ごころ」今頃何処《どこ》を旅してるやら

精神を鍛ふるものか。「短歌」とふ器は宇宙、定型は闇

底のなき言葉の沼か。三十一文字《みそひともじ》滅ぶるまでのしばし見届く

人生を賭くるか否か。「歌人」なる竜頭蛇尾の列、限りなし

定型は呪縛と為《な》るか。ゆらゆらとくらげなす闇、天離る鄙

今泉重子《かさね》を悼む

—かさねとは八《や》重《へ》撫子《なでしこ》の名なるべし　曾良—

ふるさとは花まつ盛り（悔しいぞ）修羅なる思ひきみは遂げたり

父母《ちちはは》の溜め息知らず（逝ったのか）亡き男《ひと》恋ふるこころ燃やして

残されし老いたる母を哭かしめて（二十七歳だ）きみは自死する

莞然《くわんぜん》と死んでゆきしか（自己満足だ）遺書三通に愛を貫く

用意周到完全無欠の死にざまに（釈然としない）われら途惑ふ

冷静かつ計画的なるかの行動（恕《ゆる》すまい）われら仲間なりしに

きみのその強き意志《こころ》に迷ひなし（口《くち》惜《を》しい）あれからもう十二年

桜見が　花のいのちを絶ちし夜ぞ。身もちりぢりに　それを思はむ　岡野弘彦

花なるを驕ることなく誇らなく（死んではだめだ）きみをさびしむ

ちりぢりになるわがこころ耐へたへて（酷い仕打ちだ）み骨拾へる

炎むらだつ一途さはよし（が、なぜだらう）燃ゆるおもひは悲しみばかり

あの世など信ずるものか（さうだらう）蓮の葉つぱの裏はとげとげ

めぐり逢ふことの不可思議（諦めよ）婚約者正博《まさひろ》、死して遥けし

怒りゐる顔は愛染明王ぞ（怖かつた）ああ、鈴木正博

汝《な》が遺す短歌《うた》数百首（読むものか）八重なでしこのおもかげ偲ぶ

目に顕《た》つは旅ゆくふたり（妬ましい）龍在峠を越えて旅する

夜の霊園

霊園にさくら咲き満ち咲き乱れ眠れる死者を起こす夜もある
戦死者を祀る御堂にさす月の影きよらなり夜半《よは》の霊園
霊園の闇に潜めるたんぽぽの絮《わた》の飛びゆくすゐぞ知りたき
月冴えてむらさき映ゆる木蓮の花みな天を仰ぐしづけさ
山峡《やまかひ》に墓石ひろがる霊園の闇にうつすら卒塔婆《そとば》浮き立つ
カタカタと卒塔婆揺らして伝ふるや死者なる無念・生くる妄念
死者たちの無念を聴かな言葉ひとつ闇に投げかけ返事ひた待つ
はぐれたる鳥のごとくに廻《めぐ》りをり桜しき降る真夜《まよ》の墓はら
何鳥か真夜中に来てふいに鳴く〈酔生夢死〉と聴こえ驚く
霊園の闇を切り裂く鳥のこゑ鋭《と》く鳴くこゑの主《ぬし》は何者
手向けゐる花は枯れ初めうなだれて斬首のかたち月に曝さる
闇に向き〈色即是空〉と唱へたり友の色恋沙汰を思《も》ひつつ
人間の欲なるひとつ色情のはたてにありや〈愛〉と呼ぶもの
ふたたびを逢へざるままに帰らむか墓処《はかど》に眠る友よさらば
昴ぶりて眠れぬ夜はひとしきり〈般若心経〉唸りてみたり

無限なる壺

魂のつひのすみかを捜さむと生まれし瞬間《とき》に人間《ひと》は声あぐ
けんめいに声あげ叫ぶ赤ん坊いまかりそめの親に抱かれて
人生は無限なる壺かなしみも喜びもみな湛へ呑み込む
愛すべき平凡として人間の「三道楽」を深くうべなふ
ぼんやりと闇に浮かべるさくらばな春のおぼろのひとつかわれも
ペダル漕ぎ鼻歌うたひ陽気なり春を運んでくる郵便夫
誕生日かの人けふも遠くゐてあぢさゐ淡く雨に打たるる
あるときは雨中《うちゆう》をふたり濡れ奔り花むらふかく眠りしことも
うつむきて地を見つめ咲くむらさきのほたるぶくろは含羞《はにかみ》の花
ひとすぢに飛行機雲の軌跡《あと》のびて赤がねいろに光るゆふぞら
秋の陽は釣瓶落としのさびしさに満ちみちてゐる人生もまた
燃えさかる秋の向かうの玄冬にいまだ猶予はあるものの、鬱
死はつねに生に貼りつく影法師ゆらゆらふはふは近づけるもの
生《せい》寄《き》死《し》帰《き》生《しやう》者《じや》必《ひつ》滅《めつ》会《ゑ》者《しや》定《ぢやう》離《り》小《せう》心《しん》翼《よく》翼《よく》虚《きよ》心《しん》坦《たん》懐《くわい》
意《い》気《き》軒《けん》昂《かう》艱《かん》難《なん》辛《しん》苦《く》意《い》気《き》消《せう》沈《ちん》相《さう》思《し》相《さう》愛《あい》人《じん》生《せい》行《かう》路《ろ》

谷中より根岸へ

ひぐらしの里を見下ろす諏訪神社三十一歳《みそひととせ》の子規も憩へり

坂多き町なる谷中そこかしこ寺あり墓あり古き路地あり

谷中墓地ぬけて根岸の里の秋〈子規・虚子別れの辻〉を探さん

そのむかし升《のぼ》さんといふ男ゐて胸を病む根岸の里に移り来

近代文学発祥の地ぞ。〈子規庵〉を探しあぐねて路地をさまよふ

辛うじて〈子規庵〉見つく猥雑なる環境のなか保存されゐる

痰切れず苦しく咳を繰り返す末期《まつご》の子規が臥しゐたる部屋

いくたびも雪の深さを尋ねたる病間六畳ここに存《あ》りしか

ぬれ縁の上に組まれし糸瓜棚病間の障子開き見ゐしか

糸瓜の実ふたつ垂れゐる秋の庭『仰臥漫録』その小世界

草花は我が命とぞ病み伏して目線限りの子規なる天地

病み痩せて子規の成したる革新の後《のち》の百年いまし過ぎゆく

獺祭《だつさい》の遺産くらひてこの百年生き継げり〈短歌と俳句〉別々に

『歌よみに与ふる書』など忘れ果て二十世紀はや昏れゆかんとす

身を削り書きつぐ言葉『病牀六尺』死の二日前まで連載す

追伸

丸文字の〈拝啓〉むかしあこがれしきみのままなる手紙届きぬ

ふたむかし超えて読みゐるきみの文字〈あの頃〉といふ甘き追憶

繰り返し読む丸文字の向かう側「笑顔同封」きみは忘れず

〈あの頃〉といふ名の酒に酔ひゐたり「交響楽《シンフォニー》」さうさ昔は昔

アルバムを開けばふいに蘇るなかなか昏れぬ夏「蟬時雨」

スイッチ・オン〈深夜放送〉終はるまで聴きつつきみの真夜中想ふ

酒好きの国語教師の人生論うさんくさきをわれは好める

古典文法補習授業は活用形〈恋〉しく・しく・し・しき・しけれ・噫

身を捨つるおもひ届かずきみの横に見てゐる映画〈不条理〉描く

にんまりと笑ふ口ひげバトラーの愛は命を賭けて勇まし

草はらに寝転び〈交換日記〉書くタンポポ、ポポポポ押し花にして

十七の夏にナクシタ！青インク滴らせ詩を刻める日記

〈あの頃〉に忘れもの！取りにゆかざれば行方不明となる恋ごころ

「健康に留意しませうお互ひにがんばりませうではまた〈敬具〉」

〈追伸〉と書き出す手紙破り棄てまた逢へたらと思ふゆふぐれ

沖縄の春

海碧く眼下にせまりわが機体旋回はじむ南の島へ

紺碧の海と空との境界《さかひ》なき美《ちゅ》ら島沖縄《ウチナー》いまし近づく

沖縄に暗き歴史のありしこと忘れ楽しむ国際通り

エイサーを踊る若者汗ふるひ跳ね唄ひまた指笛鳴らす

甲高く指笛鳴らす若者の腕ひき締まり力こぶなす

沖縄戦・戦死者の数うづたかく小石積まるる亀甲墓の庭

榕樹《ガジュマル》の気根の垂るる壕《ガマ》に入り沖縄戦の重さ確かむ

丸木《まるき》伊里《いり》丸木《まるき》俊《とし》作「沖縄戦の図」集団自決の悲劇描かる

親が子を夫が妻を殺すこと強ひられて壕の中は血の海

累々と重なる屍骸《かばね》　壕の奥　罪なき者の死にざま描く

戦闘機爆音たてて真上過ぐ。嘉数《かかず》高台、トーチカ遺る

沖縄戦終結の地にくれなゐの梯梧《デイゴ》なる花ぽつぽつり咲く

T字路に石敢當《いしがんたう》の文字かすみ渡嘉敷の村ゆふぐれむとす

たくましき腕もつ男　渡嘉敷の海人《ウミンチュ》に逢ふ。沖縄の春

シーサーの口に手を入れ幸《さち》願ふ老人《おいびと》ひとり島にたたずむ

寺山修司記念館

青森県三沢市大字三沢字淋代平《さびしろたひ》に立つ記念館

この地にて苛められゐしかの男「かくれんぼの鬼」解かれずに逝く

「思ひ出収容所」なる記念館、死してなほ寺山修司の挑発やまず

嗚呼ここは見世物小屋の多面体。生きざまのみを刻むテラヤマ

ふるさとの青森捨ててめざしたる「荒野《くわうや》」は何処《いづこ》？地平なる果て？

「あ、荒野」「昭和」「新宿」「独白《モノローグ》」「劣等感《コンプレックス》」「字・恐山」

憎むほど彼奴《かやつ》ふるさと愛しゐて田園に死す一世《ひとよ》縛らる

嘘ホント毀誉褒貶を発条《バネ》として「修司」戦後を駆け抜けたりき

身にまとふ胡散臭さも魅力なり「職業◎寺山修司」と云ふは

腕に抱く柱時計を愛撫して母に憎悪の矢を放ちをり

母恋し。てんてんてんまりてんてまり虚構地獄の母を哀れむ

「家出せよ」「親を捨てよ」と煽動《アジ》る声いまは懐かし昭和の香り

寺山の人生理論「ウソでしか語れぬホント」世には多かり……

「誰もみな役者」と言へり。人生といふ舞台《ステージ》は悲喜劇に満ち……

吸ひさしの煙草のけむり北向けば「前衛詩人《アバンギャルド》」は死を覚悟する

Ⅶ　この集のすえに

平成二十四年十一月十八日の午後一時過ぎ、私と「白鳥」の畠山英治さんとで慶応病院に成瀬有を訪ねた。前夜から調子が悪くなっているとの知らせを受けてお見舞いしたのだった。この歌集の新作「さらば、白き鳥よ」にも記したが、肺炎を起こしていた成瀬さんは呼吸するのが精一杯という姿で、左半身を下にして横を向き、激しく喘いでいた。眼は半分しか開いておらず、直視するのが辛かった。私の父も肺の難病を患っていたので同じような状況は何度も目撃していたが、やはり心のあり様は父の場合と違った。復活して欲しいと切に願った。その思いもむなしく、私たちが病院を後にしたその日の夕方、敬愛する成瀬有はご家族に見守られながら七十年の生涯を閉じた。

歌集を出そうと決めたのは、成瀬さんの死後三日目のお通夜の日であった。前日初めてご家族と会い、葬儀のお手伝いをさせて頂くこととなり、細かい打ち合わせをした。その夜、葬儀会場で配る資料として五つの歌集からそれぞれ五首選をした。久しぶりに歌を読み返しながらその抒情性を「やはり好きだな」と思った。次の日、会場に向かう武蔵野線の車内から呆と窓の外を眺めていた時、三十年間お世話になったことに恩返しをするには「歌集をまとめるしかない」と思った。会場に到着して遺影を眺めるとますますその思いは強くなっていった。成瀬有なくして今の私はいない。「人」短歌会に加わった直後から成瀬さんは声をかけ続けてくれた。ある人が私に対して否定的な言い方をした時も、庇うような発言を繰り返していたという。おそらく出来の悪い、年の離れた弟のように思ってくれていたのだろう。その死後半年ほどで追悼の意を込めた歌集を出すのは時期尚早であるかもしれない。しかしこの昂ぶった気持ちで編集し、一つの形にしておくことも重要だと考えた。また今後私が気持ちを切り替えて短歌と向き合っていくためにも、やはり必要なことだと思って出版を決意した。

成瀬さんは誰に対しても優しく声をかける、慈愛の人だった。多くの者がそれによって救われて来た。私も時々わがままなことを言っては叱られた。やはり兄のような存在だった。しかし短歌に関しては厳しく、執念の人であった。亡くなる前日まで病室に持ち込み、「白鳥」会員の選歌をしていたと奥様から聞いた。良いと認めた作品はページを増やしてでも載せるが、ダメと判断した作は原稿を突き返し、再考を求めた。これは師である岡野弘彦譲りだと思う。「白鳥」の誌面作りに関しても決して妥協しなかった。寺山修司を認めない成瀬さんであったが、迢空・岡野の次に寺山が好きな私に対して「ページを用意するから寺山について書きなよ」と言ってくれた。何度かの挫折の後、数年前に書き始めた「私的寺山修司ノート」の第一回目について「今まで君が書いた中で一番いい」と褒めてくれた。嬉しかった。しかしもう成瀬有はこの世にはいない。私もいつまでも甘えていられる年齢でもない。この歌集には成瀬有への感謝の気持ちと同時に、過去の自分への訣別の意味も込めたつもりだ。

B5判の横長、左ページに十五首中心という風変わりな歌集になった。このような形で出版することや『さらば、白き鳥よ』というタイトルに対して、様々な意見が出ることは予想している。しかし悩んだ末にいくつかの理由のもと、また歌の先輩（兄）であり、大切な仲間であった成瀬有を突然失ったことを契機として、一度は出版を諦めた私の作品を世に出すことが出来た。これは成瀬さんが与えてくれた幸福であろう。こんな歌集がたまにはあってもよいかと思う。

平成十年に第一歌集『家族の肖像』を上梓してから十五年が過ぎた。「白鳥」誌上で特集を組んだ際、歌集評をお願いした小池光氏は次のような内容を指摘した。「この歌集は文体の多様性が特色の個人の『合同歌集』だ。様々な文体が使われていて、とてもひとりの作者が作ったとは思えない。」もちろんこれは批判的な意味も含めての評である。作品をつくるときの気分や状況によって、文体が様々に変わってしまう傾向が私にはある。もちろん意識的に使い分けた時も多い。しかしその後の五年間、私はそのことで苦しんだ。文体を一つにしなければと思い悩んだ。その結果、しばらく歌が出来なくなってしまった時期もあった。そこで数少ない知人を頼って「第三土曜歌会」なる企画を行ない、刺激を求めたこともあった。様々な方に助けられながら、そこに成瀬さんの包容力も加わって、私は何とか歌い続けることができた。

その五年目が近づいた頃、私は伊豆大島に単身赴任することとなった。仕事の面ではとても厳しい環境で辛い日々であったが、歌について考える時間、また自然に触れながら自分を見つめなおす時間を持つことが出来たのはあり難かった。その結果、法然上人の「あるがままに念仏を称えなさい」という教えではないが、「無理して一つに絞る必要はない、自分は自分でしかない、自然体でいいんだ」と考えるに至った。「大島回想」はその過程の単身赴任時代の作と、戻ってから一年半ほどかけて詠んだ作とを合わせてまとめた。私の転機になった時代であり、今の自分を築く基礎を作ったという意味がある。「あるがまま」の自分を少しは出せたと考える。

この歌集は「さらば、白き鳥よ」を除いて、第一歌集以後の十五年間に歌誌「白鳥」や総合誌等に発表した作品から選んだ。「白鳥」は季刊号と月刊号ではページ数が違い、掲載される作品の数も異なる。創刊から十九年間、私はその季刊号で見開き二ページの十五首または二十首詠という場を与えてもらった。成瀬さんの寛容さもあり、その二ページで自由に様々なチャレンジをさせてもらった。この歌集をB5判横長、左ページのみ十五首中心としたのは、もちろん連作として読んで欲しいという意図もあるが、成瀬有また歌誌「白鳥」に育ててもらったことへのオマージュの意味もある。また私の発想は「絵本」のようなスタイルの歌集を作りたい、というところから出発した。十五年間の読むに堪え得ると判断した作品をそのままの形で、推敲した形で、再構成する形でまとめてみたが、意図が強く出すぎてしまったものもあるかもしれない。

「なゐ震る国」の一連は内なる衝動が詩型を選ばせた感がある。私は直接の被災者ではないが、歌人として詠まなければならない、そして作品で問題提起をしたいという思いが先行し、そこに表現的な意図が加わった。これらの作品はその時の心理状態と密接に結びついた表現であるので、今作れと言われても簡単には出来そうもない。他発表の機会が少ない分、あふれ出るものを押さえることが大変な一年半であった。他の章の作品は成瀬さんの選が入っているものも多いのだが、「なゐ震る国」は成瀬さんの体調もあり、また「好きにやってごらん」という言葉もあり、成瀬さんの選は全く入っていない。チャレンジ精神だけが私を支えていた。「白鳥」のよき協力者であり、成瀬さんが信頼を寄せていた詩人の藤井貞和氏は、「白鳥」二〇一二年七月号掲載の岡野弘彦歌集『美しく愛《かな》しき日本』評の中で、次のように語ってくれた。

今時の大震災で、だれもが折口の関東大震災を思い起こしていた。今時の大震災を、折口ならどう「うたう」か。折口のうちなる詩型の課題が、今時の大震災以後に『白鳥』をも襲ったと、私は見てとる。

この言葉にあるように「白鳥」では震災後、成瀬さんを始め何人かがいくつかの詩型の試みを行なったが、特に私が長く拘り続けた結果がこの歌集の作品となった。その是非はこの歌集を読んだ方に委ねることにする。岡野弘彦の師である折口信夫（釈迢空）は生涯に亘って様々な詩型や形式に拘った。

折口は短歌を作る一方で、関東大震災を体験した後は、非定型の四行詩の作を試みたり、長歌風な作品から現代詩、さらに晩年は口語による長編叙事詩の作品を作っている。日本の詩歌の展開を、終生模索し、探求しつづけたのである。

（岩波文庫『歌の話・歌の円寂する時』岡野弘彦解説より）

大震災直後の衝撃的な映像は私たちの脳裡に深く刻まれていて簡単に忘れることはできない。また原発事故そして原発のあり方をめぐる情況や報道は現在進行形であり、今後も意識し続けなければならない問題である。このテーマについてはこれからも折に触れて詠み続けるしかないと考えている。ちなみに「なゐ」はもともと「大地」を意味し、それが「震る（揺れる）」と結びつき、「なゐ震る」で「大地が揺れる」「地面が振動する」という意味である。東日本大震災後すぐ、この題にしようと思った。

歌集題の「白き鳥」の解釈は読者に任せるものだが、多くの方に魂を運ぶ「白き鳥」を連想していただけると思う。それは成瀬有でもあり、私の父でも大震災で亡くなった方々でもある。また私達の歌誌「白鳥」（これは迢空が大正十一年に創刊した創作論文誌「白鳥」に由来する名。成瀬有の命名）、さらに成瀬さんの愛したヤマトタケルの伝説、その他、様々な内容も含まれてよいだろう。お通夜の日に題を決めた。

私も間もなく五十四歳であるので、年齢的に挽歌が増えるのは仕方のないことだ。日本の和歌にとって挽歌と相聞は双璧であり、歌で人を恋うる思いは共通している。今回の私の歌集は死者を悼む挽歌が多くなってしまったが、これは過去と訣別した後、未来を志向する意味を持つ。成瀬のいない歌誌「白鳥」は数ヶ月後に「成瀬有追悼特集」を組んで終刊し、会を解散する。文学「運動体」は一代限りの活動である。

最近の私には「生かされている」感覚、また「導かれている」感覚がある。窮地に陥った時、誰かに助けられている気がするのである。私はオカルトを信じる気は全くないし、あの世とか、生まれ変わりとかを信じているわけでもない。しかし岡野弘彦と出逢ったのも、成瀬有やその他の人々と巡り会えたのも偶然と呼ぶしかない出来事であるが、どこかで導かれている気がする。今から二十数年前のある日、何気なく母に私が生まれた時刻を尋ねてみると、「九月三日午後一時十五分」（母子手帳）という答えが返ってきた。その後しばらくしてから岡野弘彦の名著『折口信夫の晩年』を久しぶりに読み返していると、迢空の死亡時刻が「九月三日午後一時十五分死亡す」（岡野弘彦の手元にある「死亡診断書」の写しによる。直前の記述によると呼吸が弱くなってきた迢空に主治医が静脈注射を命じた。「それが施されているうちに、先生の瞳がすうっと上まぶたのほうに吊りあがって静止し、咽喉が低い音をたてた。私ははっとして時計を見た。一時十一分であった。」）と書いてあった。ものすごく確率の低い偶然でしかないが、やはり因縁めいたものを感じる。またこの歌集を本阿弥書店から上梓するのも、成瀬有の導きによる。昨年の十二月初旬、どこの出版社にお願いしようかと知人らに連絡を取り、複数の情報を集めていた時、偶然「歌壇」編集長の奥田洋子さんから成瀬さんの件で電話が入り、それが今回の縁となった。希望の形で成瀬兄に捧げる歌集ができて幸福である。偶然は必然へと変化した。

＊

最後になりますが、このような風変わりな歌集を実現させてくださった方々に深く感謝いたします。岡野弘彦先生にはお忙しい中、追悼作品の転載を快諾していただきました。岡野先生を敬愛する成瀬有に捧げる歌集には、やはり先生のお言葉が必要だという私の考えから無理をお願いしました。また先生の八十九回目のお誕生日を発行日とさせていただきました。本当にありがとうございました。そして「白鳥」の仲間である安江茂・三本松幸紀・畠山英治・一ノ関忠人・月岡道晴その他の会員の方々には、この十九年間大変お世話になりました。深く深く感謝いたします。また横長の歌集など見たこともない中で根気よく付きあってくださった本阿弥書店の池永由美子さん、編集長の奥田洋子さん、本当にお世話になりました。さらに表紙にはある願いを込めて三羽の白鳥の絵がどうしても欲しいと考えた私は、版画家の門司きよみさんにも無理なお願いをしました。素敵な絵をありがとうございました。

平成二十五年三月十一日

歌誌「白鳥」　棗　隆

＊本書は二〇一三年七月に本阿弥書店より刊行された歌集『さらば、白き鳥よ』を復刻したものです。

検印
省略

二〇二四年九月三日　印刷発行

歌集　さらば、白《しろ》き鳥《とり》よ（私家版）

著　者　棗《なつめ》　隆《たかし》
郵便番号一九三―〇八三三
東京都八王子市めじろ台三―三六―五

発行者　國　兼　秀　二

発行所　短　歌　研　究　社
郵便番号一一二―〇〇一三
東京都文京区音羽一―一七―一四　音羽YKビル
電話〇三（三九四四）四八二二・四八三三
振替〇〇一九〇―九―二四三七五番

印刷　KPSプロダクツ
製本　牧　製　本

落丁本・乱丁本はお取替えいたします。本書のコピー、スキャン、デジタル化等の無断複製は著作権法上での例外を除き禁じられています。本書を代行業者等の第三者に依頼してスキャンやデジタル化することはたとえ個人や家庭内の利用でも著作権法違反です。

ISBN 978-4-86272-782-4 C0092
©Takashi Natsume 2024, Printed in Japan